Easy Steps to Chinese for Kids

轻松学中文

少儿版

4a

Textbook

英文版

Yamin Ma
Xinying Li

北京语言大学出版社
BEIJING LANGUAGE AND CULTURE
UNIVERSITY PRESS

M000251244

图书在版编目（CIP）数据

轻松学中文：少儿版：英文版. 4a. 课本 ／ 马亚敏，李欣颖编著. —北京：北京语言大学出版社，2013.4（2017.7重印）
ISBN 978-7-5619-3476-0

Ⅰ.①轻… Ⅱ.①马…②李… Ⅲ.①汉语-对外汉语教学-教材 Ⅳ.①H195.4

中国版本图书馆CIP数据核字（2013）第066017号

书　　名	**轻松学中文（少儿版）英文版　课本 4a** QINGSONG XUE ZHONGWEN (SHAO'ER BAN) YINGWEN BAN　KEBEN 4a
责任编辑	王亚莉　孙玉婷
美术策划	王　宇
封面设计	王　宇　王章定
版式设计	北京鑫联必升文化发展有限公司
责任印制	汪学发

出版发行	北京语言大学出版社
社　　址	北京市海淀区学院路15号　邮政编码：100083
网　　址	www.blcup.com
电　　话	编辑部 8610-82303647/3592/3395 国内发行部 8610-82303650/3591/3648/3653 海外拓展部 8610-82300309/3365/0361/3080
网上订购	8610-82303908　service@blcup.com
印　　刷	北京联兴盛业印刷股份有限公司
经　　销	全国新华书店

版　　次	2013年4月第1版　2017年7月第3次印刷
开　　本	889mm×1194mm　1/16　印张：7.25
字　　数	49千字
书　　号	ISBN 978-7-5619-3476-0/H.13039 07800

©2013 北京语言大学出版社

Easy Steps to Chinese for Kids (Textbook) 4a
Yamin Ma, Xinying Li

Editors	Yali Wang, Yuting Sun
Art design	Arthur Y. Wang
Cover design	Arthur Y. Wang, Zhangding Wang
Graphic design	Beijing XinLianBiSheng Cultural Development Co.,1td.

Published by

Beijing Language & Culture University Press
No.15 Xueyuan Road, Haidian District, Beijing, China 100083

Distributed by

Beijing Language & Culture University Press
No.15 Xueyuan Road, Haidian District, Beijing, China 100083

First Published in April 2013
Printed in China

Website: www.blcup.com

ACKNOWLEDGEMENTS

A number of people have helped us to put the books into publication. Particular thanks are owed to the following:

- 戚德祥先生、张健女士、苗强先生 who trusted our expertise in the field of Chinese language teaching and learning

- Editors 王亚莉女士、周婉梅女士、黄英女士、余心乐女士、孙玉婷女士 for their meticulous work

- Graphic designers 王章定先生、李越女士 for their artistic design for the cover and content

- Art consultant Arthur Y. Wang for his professional guidance and artists 陆颖女士、范如洁女士 for their artistic ability in beautiful illustration

- 范明女士、李炜先生、徐景瑄、左佳依、陈子钰、陆广平 who helped with the sound recordings and 徐景瑄 for his proofreading work

- 刘慧 who helped with the song recordings

- Chinese teachers from the kindergarten section and Heads of the Chinese Department of Xavier School 李京燕女士、余莉莉女士 for their helpful advice and encouragement

- And finally, members of our families who have always given us generous support

INTRODUCTION

- The primary goal of this series *Easy Steps to Chinese for Kids* is to help total beginners, particularly children from a non-Chinese background, build a solid foundation for learning Chinese as a foreign language.
- The series is designed to emphasize the development of communication skills in listening and speaking. Recognizing and writing characters are also the focus of this series.
- This series employs the Communicative Approach, and also takes into account the unique characteristics of the children when they engage in language learning at an early age.
- Each lesson has a song using all the new words and sentences.
- Chinese culture is introduced in a fun way.
- This series consists of 8 colour books, which cover 4 levels. Each level has 2 colour books (a and b).
- Each textbook contains a CD of new words, texts, *pinyin,* listening exercises and songs, and is supplemented by a workbook, word cards, picture flashcards and a CD-ROM.

COURSE DESIGN

- **Character** writing is introduced in a step-by-step fashion, starting with strokes, radicals and simple characters.
- *Pinyin* is not formally introduced until Book 3a, as we believe that too-early exposure to *pinyin* may confuse children who are also learning to read and write in their mother tongue.
- **Language skills in listening and speaking** are the emphasis of this series, and the language materials are carefully selected and relevant to children of this age group.
- **Motor skills** will be developed through all kinds

简介

- 《轻松学中文》（少儿版）旨在帮助那些母语为非汉语的初学儿童奠定扎实的汉语学习基础。
- 本套教材的目标是通过强调在听、说能力方面的训练来培养语言交流技能。同时，识字和书写汉字也是这套系列教材的重点。
- 教材中采用了交际法，并在课程设计中考虑到儿童在这个特定的年龄段学外语的特点。
- 每课配有一首歌曲，用歌曲的形式把当课的生词和句子唱出来。
- 中国文化的介绍是通过趣味性的活动来实现的。
- 本套教材分为四级，每级分为a、b两本彩色课本，共8本。
- 每本课本后附有一张CD，录有生词、课文、拼音学习、听力练习和歌曲。课本还另配练习册、词语卡片、图卡和CD-ROM光盘。

课程设计

- 汉字书写先从笔画、偏旁部首和简单汉字入手。
- 拼音从3a才开始系统介绍，因为小朋友过早学拼音可能会影响他们母语的阅读和书写能力的培养。
- 听、说技能的培养是本套教材的重点，所选语料适合小朋友的年龄段及其兴趣爱好。
- 小朋友的手部握笔掌控能力的培养是通过各种精心设计的有趣的活动来实现的，这些活动包括连线、画图、上色、描红、做手工等。
- 认知能力的培养是儿童早期教育的一个重点。

of fun and interesting activities, including drawing lines and pictures, colouring, tracing characters and making handicrafts, etc.

- **Cognitive ability** is a very important aspect of early schooling. By understanding the world around them through shapes, colours, directions, etc., children may find Chinese language learning more exciting, fun and relevant.

- **Logical thinking and imaginative skills** are nurtured through a variety of activities and practice, which create space for children to develop these skills as early as possible.

- **A variety of activities,** such as songs, games, handicrafts, etc., are carefully designed to motivate the children to learn.

- **Hands-on practice** is carefully designed throughout the series to make learning meaningful and enhance retention.

- **The pace** for developing language knowledge and skills takes a gradual approach, which makes it easy for children to build a solid foundation for learning Chinese.

通过图形、颜色、方向等的学习，小朋友认识了他们周围的世界，汉语学习也变得活泼、有趣，小朋友还能活学活用。

- 通过一系列精心设计的活动和练习，培养小朋友的逻辑思维和想象力。

- 各种丰富多彩的活动的设计，比如歌曲、游戏、手工等，都是为了激发小朋友学习汉语的积极性。

- 培养动手能力的练习贯穿始终，使小朋友学起来更有意思，也有助于他们掌握和巩固新学的内容。

- 学习的节奏由慢到快，循序渐进，使小朋友轻松打好汉语学习的基础。

COURSE LENGTH

- This series is designed for young children or primary school students.

- With one lesson daily, primary school students can complete learning one level, i.e. two books, within an academic year.

- Once all the eight books have been completed, learners can move onto the series *Easy Steps to Chinese* (Books 1-8), which is designed for teenagers from a non-Chinese background.

- As this series is continuous and ongoing, each book can be taught within any time span according to the students' levels of Chinese proficiency.

课程进度

- 本套教材专为幼儿或小学生编写。

- 如果每天都有汉语课，大部分学生可以在一年内学完一个级别的两本。

- 如果学完四级8本，学生可以继续学习同一系列的为非华裔中学生编写的《轻松学中文》（1—8册）。

- 由于本教材的内容是连贯的，教师可根据学生的水平来决定教学进度。

HOW TO USE THIS BOOK

①

New words are introduced through pictures.

②

The teacher is encouraged to use different ways to help the children say the new words correctly and memorize their meanings.

③

The texts are presented in forms of phrases, sentences or conversations.

④

The songs will help the children memorize the new words and sentences in a fun way.

The children develop their speaking skills through picture talks.

⑤

⑥

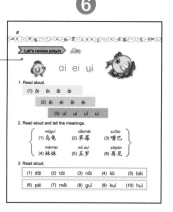

The children will review *pinyin* systematically through listening and reading.

⑦

Radicals are introduced using vivid pictures and the illustrations of stroke order.

⑧

Fun activities are designed to reinforce and consolidate language learning.

⑨

Such activities provide opportunities for the children to develop their logical thinking and imagination.

⑩

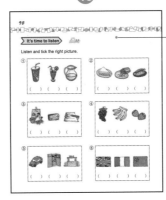

Such exercises are designed to help the children improve their listening skills.

⑪

This section of Chinese culture can be introduced whenever the need arises.

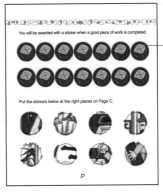

Stickers are given to the children when a good piece of work is completed.

CONTENTS　目录

Let's learn new words

①

zhù
住
live

②

nǎr
哪儿
where

③

tā men
他们
they; them

④

běi jīng
北京
Beijing

⑤

diàn huà hào mǎ
电话号码
telephone number

⑥

duō shao
多少
how many;
how much

Let's practise

Prepare a speech about your best friend and present it to the class.

Tip: Replace the underlined information.

EXAMPLE

wǒ de hǎo péng you jiào xiǎo hóng　tā jiǔ suì　　tā shì xiǎo xué shēng
我 的 好 朋 友 叫 小 红。她 九 岁。她 是 小 学 生。

tā shàng sì nián jí　　tā jiā yǒu sì kǒu rén　bà ba　　mā ma　　yí ge
她 上 四 年 级。她 家 有 四 口 人：爸 爸、妈 妈、一 个

gē ge hé tā　　tā men zhù zài běi jīng　　tā jiā de diàn huà hào mǎ shì
哥 哥 和 她。他 们 住 在 北 京。她 家 的 电 话 号 码 是

liù wǔ sān jiǔ qī líng sì yāo　tā yé ye　　nǎi nai yě zhù zài běi jīng
六 五 三 九 七 〇 四 一。她 爷 爷、奶 奶 也 住 在 北 京。
　　　　　　　zero

Note: "1" / "一" is usually read as "yāo" when it's in telephone numbers or room numbers.

4

Let's use new words 02

①

tián lì　　nǐ yé ye　　nǎi nai zhù
田力：你爷爷、奶奶住
　　　　zài　nǎr
　　　　在哪儿？

jīng jing　　tā men zhù zài běi jīng
京京：他们住在北京。

lán lan　　nǐ jiā de diàn huà hào mǎ
兰兰：你家的电话号码
　　　　shì duō shao
　　　　是多少？

dòu dou　　liù qī sì èr wǔ qī sān wǔ
豆豆：六七四二五七三五。

②

Let's sing ▷ ◎03

电话号码

你 爷爷、奶奶　住 在 哪儿，住 在 哪　儿？

他 们 住 在 北　京，住 在 北　京。

他 们 的 电话 号　码 是 多少，是 多 少？

二 九 一 八 三 八 二 四，二 九 一 八 三 八 二 四。

Let's say it

1. Make up a conversation by asking your classmate the following questions.

nǐ jiào shén me míng zi
❶ 你叫什么名字?

nǐ jǐ suì le
❷ 你几岁了?

nǐ shàng jǐ nián jí
❸ 你上几年级?

nǐ jiā yǒu jǐ kǒu rén　　dōu yǒu shéi
❹ 你家有几口人? 都有谁?

nǐ shì nǎ guó rén
❺ 你是哪国人?

nǐ jiā zhù zài　nǎr
❻ 你家住在哪儿?

nǐ jiā de diàn huà hào mǎ shì duō shao
❼ 你家的电话号码是多少?

2. Introduce your grandparents.

EXAMPLE

zhè shì wǒ yé ye
这是我爷爷。

zhè shì wǒ nǎi nai   tā men
这是我奶奶。他们

shì zhōng guó rén   tā men
是中国人。他们

zhù zài běi jīng   tā men de
住在北京。他们的

diàn huà hào mǎ shì liù qī sān
电话号码是六七三

líng jiǔ jiǔ sì yāo
○九九四一。

Bring a photo of your grandparents and introduce them to your classmates.

Let's review *pinyin* 04

ai ei ui

1. Read aloud.

(1) āi   ái   ǎi   ài

(2) ēi   éi   ěi   èi

(3) uī   uí   uǐ   uì

2. Read aloud and tell the meanings.

wūguī
(1) 乌龟

cǎoméi
(2) 草莓

zuǐba
(3) 嘴巴

mèimei
(4) 妹妹

wǔ suì
(5) 五岁

zàijiàn
(6) 再见

3. Read aloud.

(1) dāi	(2) tái	(3) nǎi	(4) lái	(5) bēi

(6) péi	(7) měi	(8) guī	(9) kuí	(10) huì

Let's learn radicals

①

dānrénpáng

standing person

tā

他

he; him

②

bǎogài

roof with a chimney

jiā

家

family; home

③

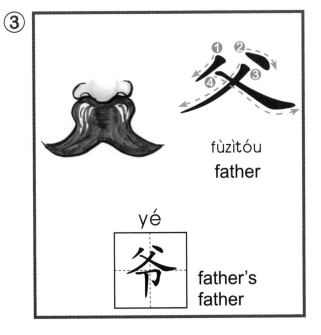

fùzìtóu

father

yé

爷

father's father

Let's write

1. Trace and copy the radicals.

① 亻

dānrénpáng
standing
person

② 宀

bǎogài
roof with a
chimney

③ 父

fùzìtóu
father

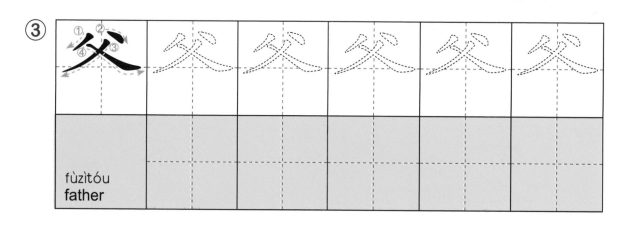

2. Write down the *pinyin* and simple characters.

Let's play

nǐ jiā de diàn huà hào mǎ shì duō shao
你家的电话号码是多少？

liù liù sān bā jiǔ líng yāo sì
六六三八九〇一四。

INSTRUCTION

Each child asks the others their telephone numbers and writes them down. Add up all the digits of each telephone number. The first child that comes up with a sum of 100 or above can report to the teacher.

Some examples:

① 6638 9014 → 37

② 5419 3647 → 39

③ 2485 3108 → 31

107

Let's try it

Guess your classmates' birthdays.

míng zi 名字	shēng rì 生日
• 京京	• 七月二十日
• 乐乐	• 三月五日
•	•
•	•
•	•
•	•
•	•
•	•
•	•

jīng jing de shēng rì zài bā yuè
京京的生日在八月。

bú duì　　wǒ de shēng rì zài
不对。我的生日在
qī yuè　　qī yuè èr shí hào
七月，七月二十号。

lè le de shēng rì
乐乐的生日
zài sān yuè
在三月。

duì　　wǒ de shēng rì
对。我的生日
shì sān yuè wǔ hào
是三月五号。

Listen and tick if true and cross if false.

① (   )

② (   )

③ (   )

④

86735428

(   )

⑤

62486910

(   )

⑥

60137891

(   )

It's time to work

Bring a photo of your family and introduce them to the class by following the example.

EXAMPLE

wǒ jiào lè le　　wǒ bā suì　　wǒ shì xiǎo xué shēng　　wǒ shàng sì nián jí

我叫乐乐。我八岁。我是小学生。我上四年级。

wǒ shì fǎ guó rén　　wǒ jiā yǒu wǔ kǒu rén　　bà ba　　mā ma　　gē ge　　dì di

我是法国人。我家有五口人：爸爸、妈妈、哥哥、弟弟

hé wǒ　　wǒ men zhù zài běi jīng　　wǒ jiā de diàn huà hào mǎ shì liù sì sān bā qī

和我。我们住在北京。我家的电话号码是六四三八七

jiǔ líng yāo　　wǒ wài gōng hé wài pó yě shì fǎ guó rén　　tā men zhù zài fǎ guó

九〇一。我外公和外婆也是法国人。他们住在法国。

第二课 我说汉语

①
shuō
说
speak;
say

②
hàn yǔ
汉语
Chinese
(language)

③
dé yǔ
德语
German
(language)

④
yīng yǔ
英语
English
(language)

⑤
fǎ yǔ
法语
French
(language)

> **Let's practise**

Say one sentence for each picture.

yīng yǔ
英语

EXAMPLE

měi guó rén shuō yīng yǔ
美国人说英语。

①

hàn yǔ
汉语

②

fǎ yǔ
法语

③

dé yǔ
德语

④

yīng yǔ
英语

Let's use new words 07

①

wǒ shì zhōng guó rén
我是中国人。

wǒ shuō hàn yǔ
我说汉语。

②

wǒ shì dé guó rén
我是德国人。

wǒ shuō dé yǔ
我说德语。

③

wǒ shì měi guó rén
我是美国人。

wǒ shuō yīng yǔ
我说英语。

④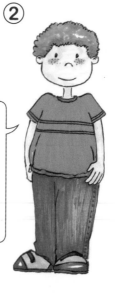

wǒ shì fǎ guó rén
我是法国人。

wǒ shuō fǎ yǔ
我说法语。

 Let's sing

中国人说汉语

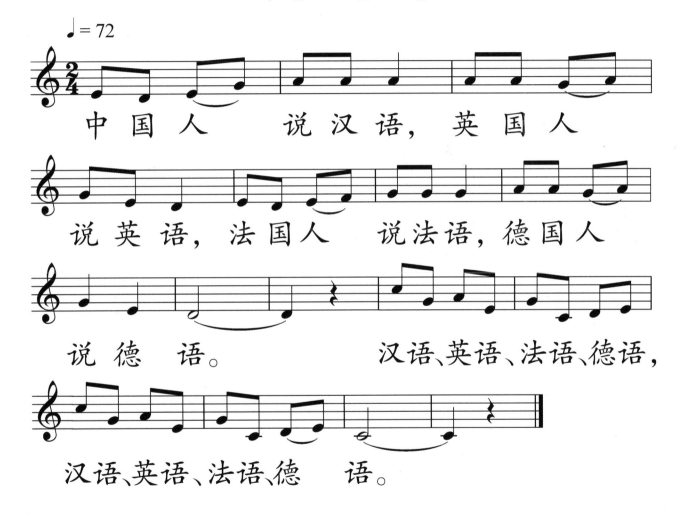

> ## Let's say it

Say a few sentences about each of the families.

田力

> - 田力，九岁，上四年级
> - 德国人，说德语、英语和汉语
> - 生日：12月3日
> - 住在北京
> - 电话号码：64380019

EXAMPLE

tā jiào tián lì　　tā jiǔ suì　　tā shì xiǎo xué shēng　　tā shàng sì nián
他叫田力。他九岁。他是小学生。他上四年

jí　　tā shì dé guó rén　　tā shuō dé yǔ　　yīng yǔ hé hàn yǔ　　tā de shēng
级。他是德国人。他说德语、英语和汉语。他的生

rì shì shí èr yuè sān hào　　tā jiā yǒu wǔ kǒu rén　　bà ba　　mā ma　　dì
日是十二月三号。他家有五口人：爸爸、妈妈、弟

dì　　mèi mei hé tā　　tā men zhù zài běi jīng　　tā jiā de diàn huà hào mǎ shì
弟、妹妹和他。他们住在北京。他家的电话号码是

liù sì sān bā líng líng yāo jiǔ
六四三八〇〇一九。

①

- 京京，八岁，上四年级
- 中国人，说汉语和英语
- 生日：7月20日
- 住在北京
- 电话号码：62486901

②

- 丁一，九岁，上四年级
- 美国人，说英语和汉语
- 生日：5月7日
- 住在北京
- 电话号码：60317890

③

- 乐乐，八岁，上四年级
- 法国人，说法语、英语和汉语
- 生日：3月5日
- 住在北京
- 电话号码：64387901

Let's review *pinyin* ◎ 09

ao ou iu

1. Read aloud.

(1) āo áo ǎo ào

(2) ōu óu ǒu òu

(3) iū iú iǔ iù

2. Read aloud and tell the meanings.

nǐ zǎo	lǎoshī	tóufa
(1) 你早	(2) 老师	(3) 头发
hóuzi	jiǔ hào	liù diǎn
(4) 猴子	(5) 九号	(6) 六点

3. Read aloud.

(1) zāo	(2) zháo	(3) sǎo	(4) shào	(5) gōu

(6) kǒu	(7) hòu	(8) jiū	(9) qiú	(10) xiù

> **Let's learn radicals**

①

yánzìpáng
speech

shuō

说

speak; say

②

sāndiǎnshuǐ
water

yóu

游

swim

③

shuāngrénpáng
two people

dé

德

morals

Let's write

1. Trace and copy the radicals.

① 讠

yánzìpáng
speech

② 氵

sāndiǎnshuǐ
water

③ 彳

shuāngrén-
páng
two people

2. Write down the *pinyin* and simple characters.

①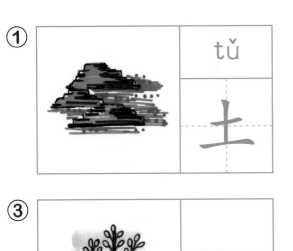

tǔ

土

②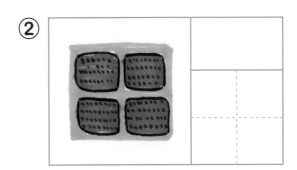

③

④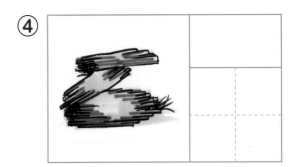

⑤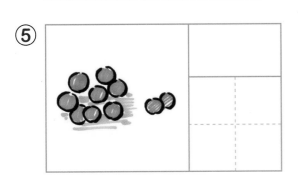

⑥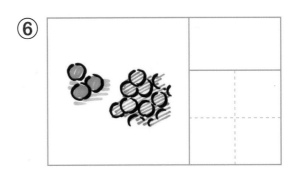

⑦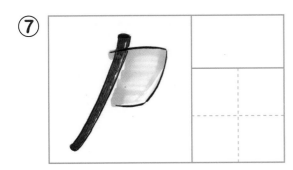

⑧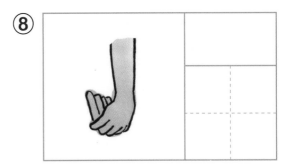

Let's play

Match the cities with the numbers on the map.

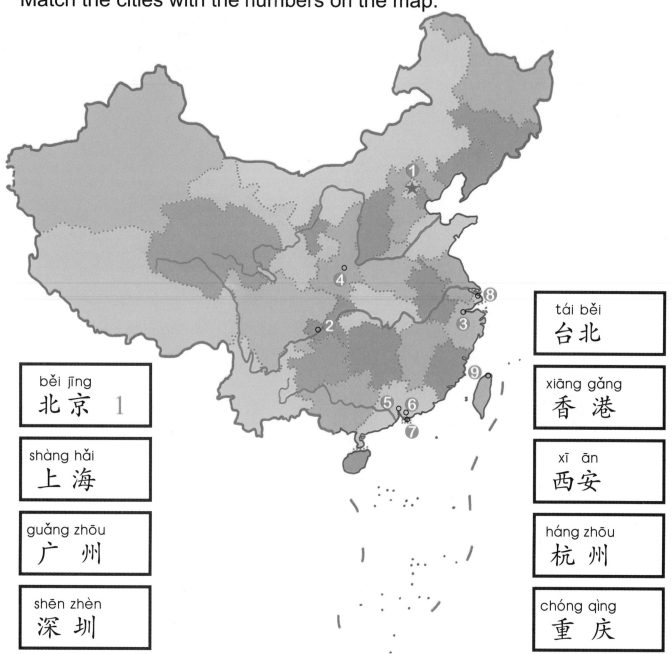

běi jīng 北 京 1	**tái běi** 台 北
shàng hǎi 上 海	**xiāng gǎng** 香 港
guǎng zhōu 广 州	**xī ān** 西 安
shēn zhèn 深 圳	**háng zhōu** 杭 州
	chóng qìng 重 庆

Let's try it

Find six sentences and write down their meanings.

yé 爷	ye 爷	shì 是	dé 德	guó 国	rén 人。
nǎi 奶	nǎi 奶	shì 是	měi 美	guó 国	rén 人。
wǒ 我	mā 妈	ma 妈	shì 是	zhōng 中	guó 国
tā 他	bà 爸	ba 爸	huì 会	shuō 说	rén 人。
nǐ 你	jiā 家	de 的	diàn 电	hàn 汉	yǔ 语。
tā 她	jiā 家	zhù 住	huà 话	hào 号	mǎ 码
jīng 京。	běi 北	zài 在	shao 少?	duō 多	shì 是

① Grandpa is German. _____

② _____

③ _____

④ _____

⑤ _____

⑥ _____

It's time to listen 🔘10 ✒

Listen and tick if true and cross if false.

①
妈妈
爸爸
小天

( )

②
妈妈
大力
爸爸

( )

③
外公
妈妈
爸爸
小红 外婆

( )

④
爷爷
爸爸
妈妈
奶奶 小冰

( )

⑤
兰兰

( )

⑥
64380190
田力

( )

It's time to work

Describe the picture.

EXAMPLE

jīng jing xǐ huan huà huàr
京京喜欢 画画儿。

Let's learn new words 11

①
xiàn zài
现在
now

②
fēn
分
minute

③
yí kè
一刻
a quarter
(of an hour)

④
sān kè
三刻
three
quarters
(of an hour)

⑤
bàn
半
half

⑥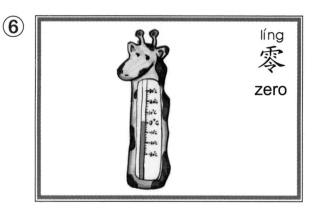
líng
零
zero

Let's practise

Make up conversations by following the example.

EXAMPLE

xiàn zài jǐ diǎn le
A：现在几点了？

liù diǎn líng wǔ fēn
B：六点零五分。

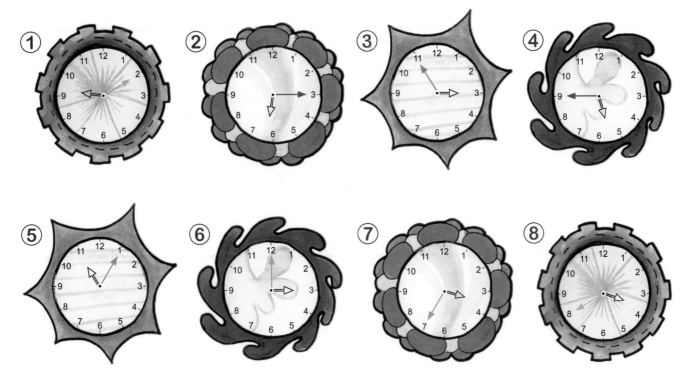

Let's use new words

xiàn zài jǐ diǎn le
现在几点了？

① xiàn zài shí èr diǎn líng wǔ fēn
现在十二点零五分。

② xiàn zài liǎng diǎn yí kè
现在两点一刻。

⑤ xiàn zài shí diǎn wǔ shí wǔ fēn
现在十点五十五分。

④ xiàn zài qī diǎn sān kè
现在七点三刻。

③ xiàn zài wǔ diǎn bàn
现在五点半。

Let's sing

现在几点

1. 几 点、几 点？　　现 在 几 点？
2. 几 点、几 点？　　现 在 几 点？

八 点 零 五，八 点 一 刻，　　八 点 二 十，
八 点 三 刻，八 点 五 十，　　现 在 九 点、

八 点 半。　　　　　九　　点。

Let's say it

Say the time and draw the sun.

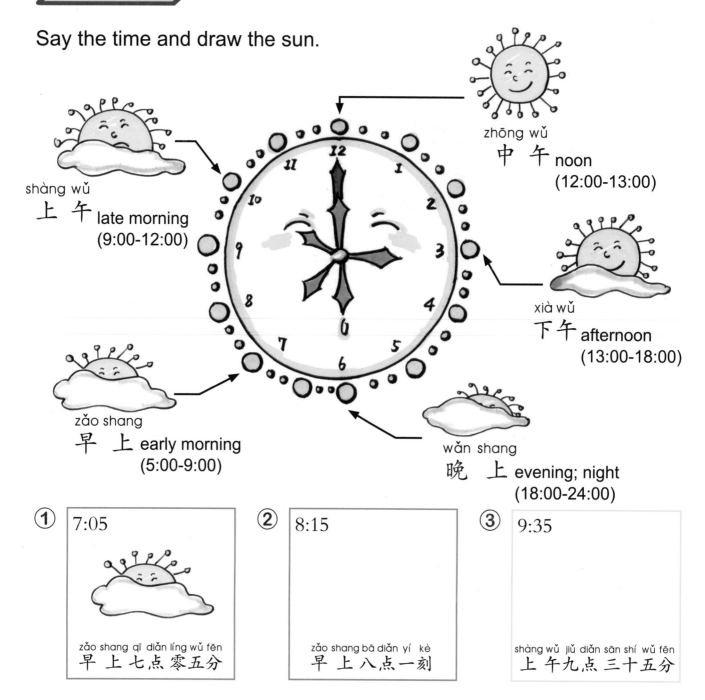

zhōng wǔ
中午 noon
(12:00-13:00)

shàng wǔ
上午 late morning
(9:00-12:00)

xià wǔ
下午 afternoon
(13:00-18:00)

zǎo shang
早上 early morning
(5:00-9:00)

wǎn shang
晚上 evening; night
(18:00-24:00)

① 7:05

zǎo shang qī diǎn líng wǔ fēn
早上七点零五分

② 8:15

zǎo shang bā diǎn yí kè
早上八点一刻

③ 9:35

shàng wǔ jiǔ diǎn sān shí wǔ fēn
上午九点三十五分

④ 10:30

shàng wǔ shí diǎn bàn
上 午 十 点 半

⑤ 11:05

shàng wǔ shí yī diǎn líng wǔ fēn
上 午 十一 点 零五分

⑥ 12:00

zhōng wǔ shí èr diǎn
中 午 十二 点

⑦ 13:10

xià wǔ yī diǎn shí fēn
下午 一 点 十分

⑧ 14:15

xià wǔ liǎng diǎn yí kè
下午 两 点 一刻

⑨ 15:40

xià wǔ sān diǎn sì shí fēn
下午 三 点 四十分

⑩ 18:20

wǎn shang liù diǎn èr shí fēn
晚 上 六 点 二十分

⑪ 20:45

wǎn shang bā diǎn sān kè
晚 上 八 点 三刻

⑫ 24:00

wǎn shang shí èr diǎn
晚 上 十二 点

36

 Let's review *pinyin* 14

 ie üe er

1. Read aloud.

(1) iē ié iě iè

(2) üē üé üě üè

(3) ēr ér ěr èr

When ü meets j, q, x or y, the two dots on top of ü will disappear.

2. Read aloud and tell the meanings.

jiějie
(1) 姐姐

píxié
(2) 皮鞋

yuèliang
(3) 月亮

xuésheng
(4) 学生

ěrduo
(5) 耳朵

èrshí
(6) 二十

3. Read aloud.

(1) jié (2) qiě (3) xiè (4) niè (5) qué

(6) xuè (7) nüè (8) lüè (9) juē (10) ěr

37

Let's learn radicals

①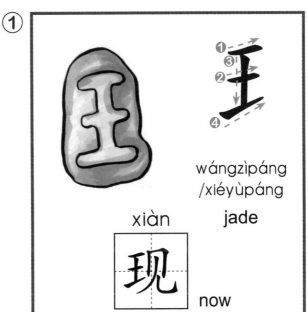

wángzìpáng
/xiéyùpáng

jade

xiàn

现

now

②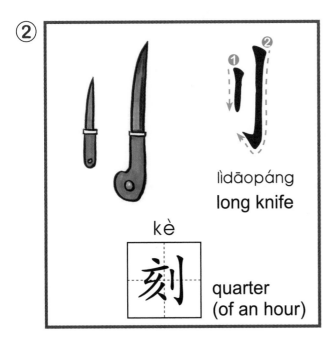

lìdāopáng

long knife

kè

刻

quarter
(of an hour)

③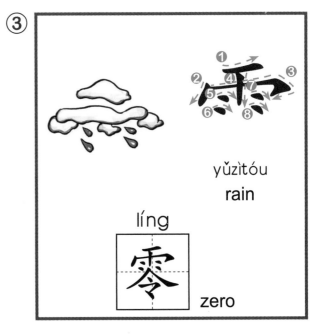

yǔzìtóu

rain

líng

零

zero

> **Let's write**

1. Trace and copy the radicals.

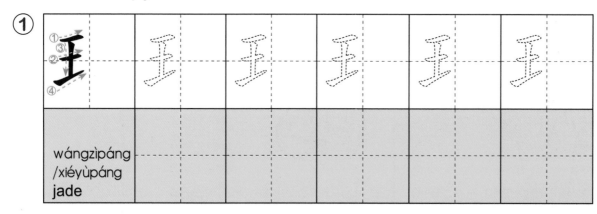

① 王
wángzìpáng
/xiéyùpáng
jade

② 刂
lìdāopáng
long knife

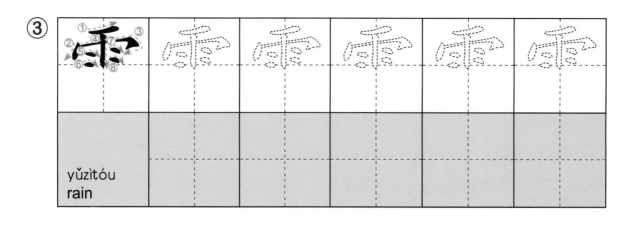

③ 雨
yǔzìtóu
rain

2. Write down the *pinyin* and simple characters.

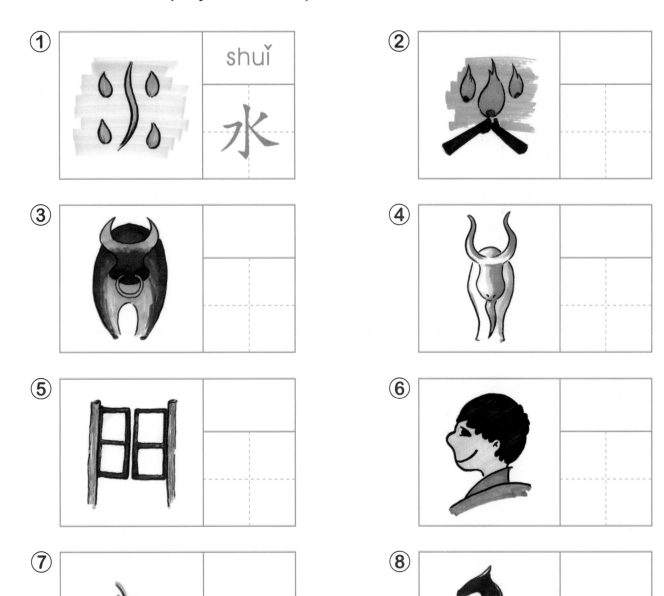

① shuǐ 水

②

③

④

⑤

⑥

⑦

⑧

Let's play

shí diǎn yí kè
十点一刻

INSTRUCTION

When the teacher says a time, one child will move the long and short hands to the right positions on the clock.

Some examples:

liǎng diǎn
1 两 点

sān diǎn líng wǔ fēn
2 三 点 零 五 分

sì diǎn yí kè
3 四 点 一 刻

shí yī diǎn bàn
4 十 一 点 半

jiǔ diǎn sān kè
5 九 点 三 刻

wǔ diǎn sān shí wǔ fēn
6 五 点 三 十 五 分

shí èr diǎn shí fēn
7 十 二 点 十 分

qī diǎn wǔ shí wǔ fēn
8 七 点 五 十 五 分

Let's try it

Find five mistakes in each of the two periods of time.

bái tiān
day 白天

wǎn shang
晚 上 night

It's time to listen

Listen and tick if true and cross if false.

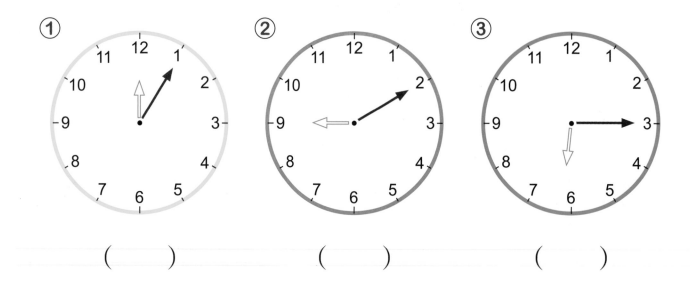

① ( )   ② ( )   ③ ( )

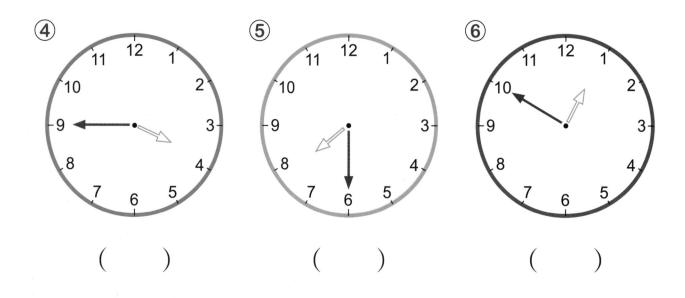

④ ( )   ⑤ ( )   ⑥ ( )

It's time to work

Draw the long and short hands on each clock face.

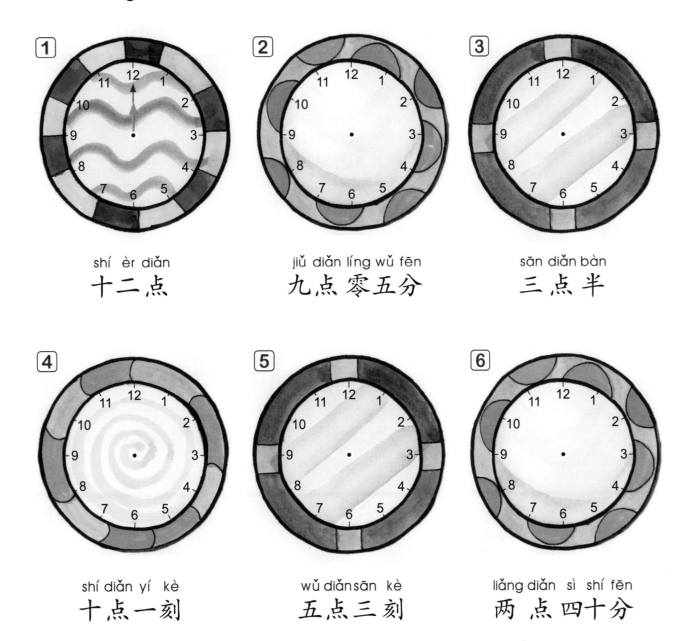

1.
shí èr diǎn
十二点

2.
jiǔ diǎn líng wǔ fēn
九点零五分

3.
sān diǎn bàn
三点半

4.
shí diǎn yí kè
十点一刻

5.
wǔ diǎn sān kè
五点三刻

6.
liǎng diǎn sì shí fēn
两点四十分

Let's learn new words 16

① qǐ chuáng
起床
get up

② zǎo fàn
早饭
breakfast

③ shàng xué
上学
go to school

④ wǔ fàn
午饭
lunch

⑤ fàng xué
放学
school is over

⑥ wǎn fàn
晚饭
dinner

⑦ shuì jiào
睡觉
sleep

Let's practise

Say one sentence for each picture.

qǐ chuáng
起 床

tā qī diǎn qǐ chuáng
她七点起 床。
time   verb

①

shàng xué
上 学

②

chī wǔ fàn
吃午饭

③

fàng xué
放学

④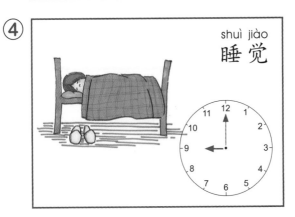

shuì jiào
睡 觉

Let's use new words

①

乐乐

wǒ qī diǎn qǐ chuáng　qī diǎn
我七点起床，七点
bàn chī zǎo fàn
半吃早饭。

②

wǒ bā diǎn qù
我八点去
shàng xué
上学。

③

wǒ shí èr diǎn yí
我十二点一
kè chī wǔ fàn
刻吃午饭。

④

wǒ men sān diǎn líng
我们三点零
wǔ fēn fàng xué
五分放学。

⑤

wǒ men jiā liù
我们家六
diǎn sān kè chī
点三刻吃
wǎn fàn
晚饭。

⑥

wǒ jiǔ diǎn
我九点
shuì jiào
睡觉。

我七点起床

我 七 点 起 床, 吃 早 饭, 八 点 去 上 学。 我

十 二 点 半 吃 午 饭, 三 点 半 放 学。 我 六 点 三 刻

吃 晚 饭, 九 点 要 睡 觉。 我

九 点 要 睡 觉。

Let's say it

Say one sentence for each picture.

qǐ chuáng
起 床
7:00 am

丁一

EXAMPLE

tā qī diǎn qǐ chuáng
她七点起 床。

① shuā yá   shū tóu
刷牙、梳头
7:15 am

② chī zǎo fàn
吃早饭
7:30 am

③ chuān xiào fú   chuān xié zi
穿 校服、穿鞋子
8:00 am

④ qù shàng xué
去 上 学
8:10 am

⑤
chī wǔ fàn
吃午饭
12:15 pm

⑥
fàng xué
放学
3:30 pm

⑦
kàn shū
看书
4:00 pm

⑧
xiě zì
写字
5:00 pm

⑨
wánr yóu xì
玩儿游戏
6:00 pm

⑩
chī wǎn fàn
吃晚饭
7:00 pm

⑪
shuì jiào
睡觉
9:30 pm

Let's review _pinyin_ 19

 an en

1. Read aloud.

(1) ān án ǎn àn

(2) ēn én ěn èn

2. Read aloud and tell the meanings.

yǎnjing
(1) 眼睛

lánsè
(2) 蓝色

dàngāo
(3) 蛋糕

chènshān
(4) 衬衫

liànxícè
(5) 练习册

zhōngguórén
(6) 中国人

3. Read aloud.

(1) bān (2) pán (3) biǎn (4) piàn (5) bēn

(6) fěn (7) jiān (8) qián (9) xiǎn (10) yàn

Let's learn radicals

①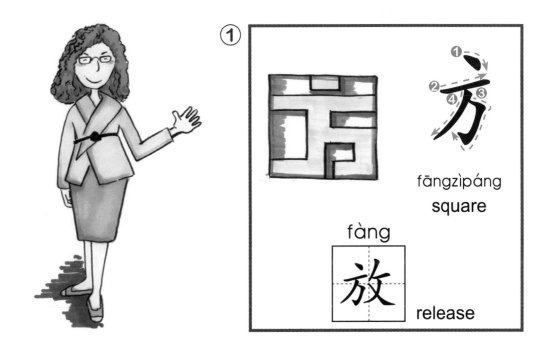

fāngzìpáng
square

fàng

放

release

②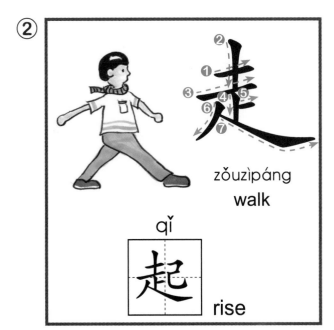

zǒuzìpáng
walk

qǐ

起

rise

③

guǎngzìpáng
shelter

chuáng

床

bed

Let's write

1. Trace and copy the radicals.

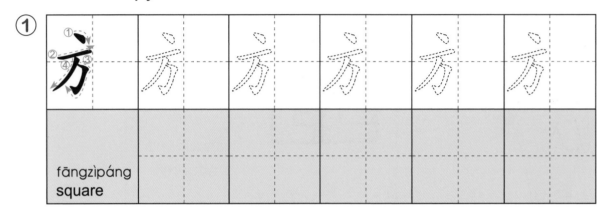

① 方

fāngzìpáng
square

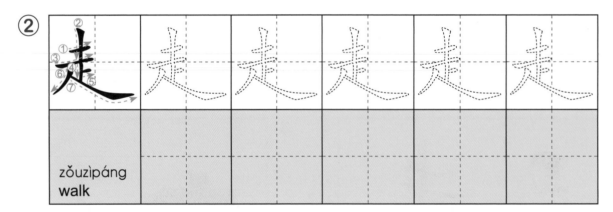

② 走

zǒuzìpáng
walk

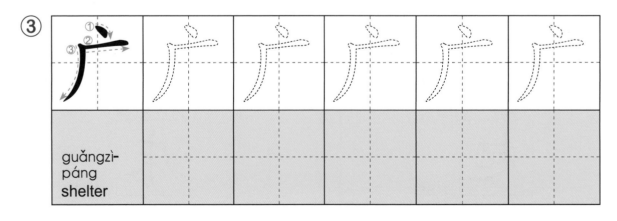

③ 广

guǎngzì-
páng
shelter

2. Write down the radicals and their meanings and read them aloud.

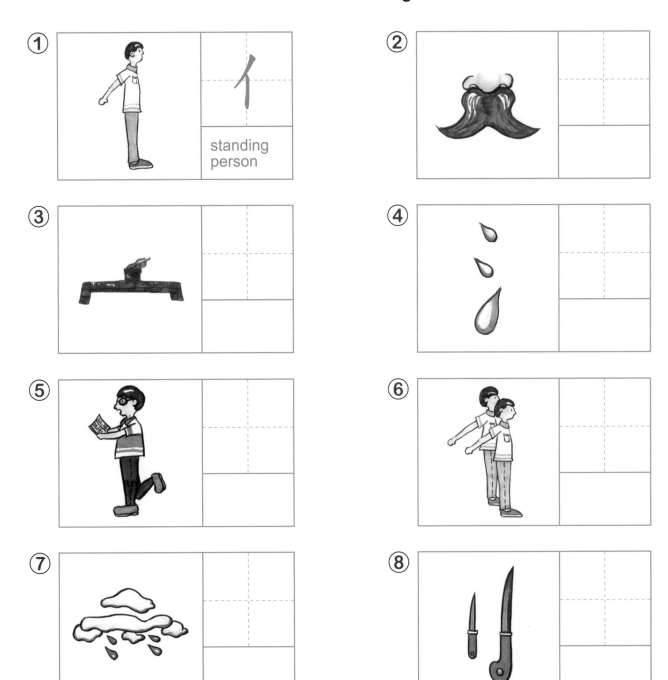

① standing person

②

③

④

⑤

⑥

⑦

⑧

Let's play

Ask four classmates the following questions and write down the time.

QUESTIONS \ 名字 míng zi	京京			
nǐ měi tiān jǐ diǎn qǐ chuáng ❶ 你每天几点起床？	7:00			
nǐ jǐ diǎn chī zǎo fàn ❷ 你几点吃早饭？				
nǐ jǐ diǎn qù shàng xué ❸ 你几点去上学？				
nǐ jǐ diǎn chī wǔ fàn ❹ 你几点吃午饭？				
nǐ jǐ diǎn fàng xué ❺ 你几点放学？				
nǐ men jiā jǐ diǎn chī wǎn fàn ❻ 你们家几点吃晚饭？				
nǐ jǐ diǎn shuì jiào ❼ 你几点睡觉？				

Let's try it

Find six sentences and write down their meanings.

① wǒ 我	měi 每	tiān 天	qī 七	diǎn 点	qǐ 起
② wǒ 我	shí 十	èr 二	diǎn 点	chī 吃	chuáng 床。
③ wǒ 我	men 们	sān 三	diǎn 点	wǔ 午	fàn 饭。
④ jiě 姐	jie 姐	měi 每	bàn 半	fàng 放	xué 学。
⑤ tā 他	men 们	tiān 天	jiǔ 九	diǎn 点	shuì 睡
⑥ xiàn 现	jiā 家	bā 八	diǎn 点	chī 吃	jiào 觉。
zài 在	jǐ 几	diǎn 点	le 了?	wǎn 晚	fàn 饭。

① I get up at 7 o'clock every day. _____

② _____

③ _____

④ _____

⑤ _____

⑥ _____

It's time to listen

Listen and tick if true and cross if false.

① 7:15

② 8:15

③ 12:30

(   )   (   )   (   )

④ 15:30

⑤ 18:00

⑥ 20:00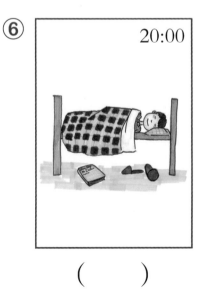

(   )   (   )   (   )

It's time to work

Match the Chinese with the pictures.

① tā qī diǎn chī zǎo fàn
他七点吃早饭。

② tā liù diǎn bàn qǐ chuáng
他六点半起床。

③ tā bā diǎn qù shàng xué
他八点去上学。

④ tā shí èr diǎn chī wǔ fàn
他十二点吃午饭。

⑤ tā sān diǎn shí fēn fàng xué
他三点十分放学。

⑥ tā wǔ diǎn qù yóu yǒng
他五点去游泳。

⑦ tā men jiā qī diǎn chī wǎn fàn
他们家七点吃晚饭。

⑧ tā shí diǎn shuì jiào
他十点睡觉。

a

e

b

f

c

g

d

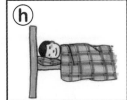
h

Let's learn new words  21

①
chǎo miàn
炒面
fried noodles

②
shǔ tiáo
薯条
French fries

③
rè gǒu
热狗
hot dog

④
sān míng zhì
三明治
sandwich

⑤
bǐ sà bǐng
比萨饼
pizza

Let's practise

Say one sentence for each picture.

EXAMPLE

wǒ xǐ huan chī jiǎo zi
我喜欢吃饺子。

①

②

③

④

⑤

⑥

⑦

60

Let's use new words 22

① wǒ wǔ fàn chī
我午饭吃
chǎo miàn
炒 面。

② wǒ xǐ huan chī shǔ
我喜欢 吃薯
tiáo   rè gǒu
条、热狗。

③ wǒ wǔ fàn chī
我午饭吃
sān míng zhì
三 明 治。

④ wǒ ài chī
我爱吃
bǐ sà bǐng
比萨饼。

Let's sing 23

吃午饭

午饭、午饭，吃午饭，我十二点半 吃午饭。

星期一我 吃炒面，星期二吃热 狗。

星期三我 吃薯条，星期四吃 三明治。

星期五吃 比萨饼，我吃比萨 饼。 饼。

62

Let's say it

Say the foods in each shop. Circle the foods that is placed in the wrong shop.

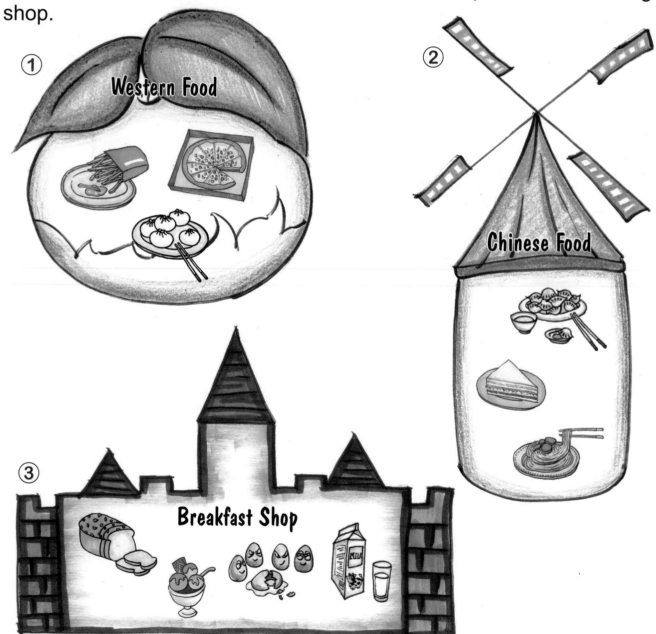

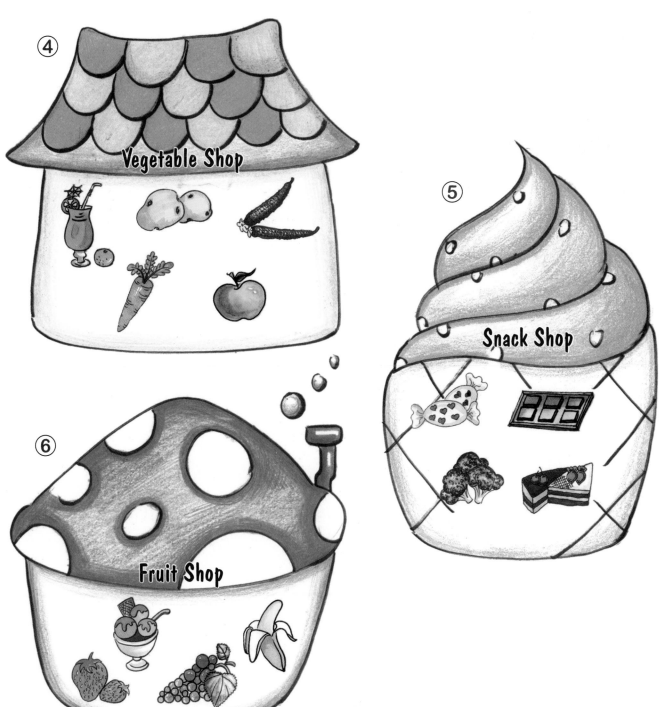

Let's review *pinyin*

in un ün

1. Read aloud.

(1) īn   ín   ǐn   ìn

(2) ūn   ún   ǔn   ùn

(3) ūn   ún   ǔn   ùn

2. Read aloud and tell the meanings.

jīnyú	jīntiān	nín hǎo
(1) 金鱼	(2) 今天	(3) 您好

qúnzi	chūnjié	bīngqílín
(4) 裙子	(5) 春节	(6) 冰淇淋

3. Read aloud.

(1) bīn	(2) pín	(3) mǐn	(4) gǔn	(5) kūn

(6) hún	(7) jūn	(8) qún	(9) xùn	(10) rùn

Let's learn radicals

①

艹
cǎozìtóu
grass

shǔ

薯
yam

②

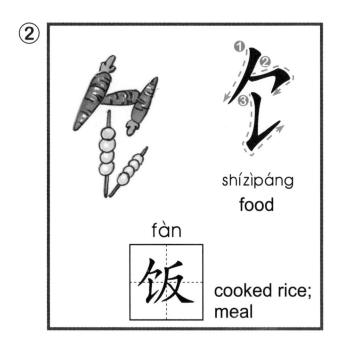

饣
shízìpáng
food

fàn

饭
cooked rice;
meal

③

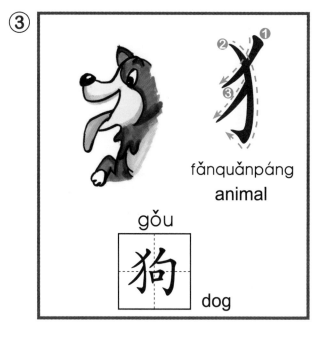

犭
fǎnquǎnpáng
animal

gǒu

狗
dog

Let's write

1. Trace and copy the radicals.

①

cǎozìtóu
grass

②

shízìpáng
food

③

fǎnquǎn-
páng
animal

2. Write down the radicals and their meanings and read them aloud.

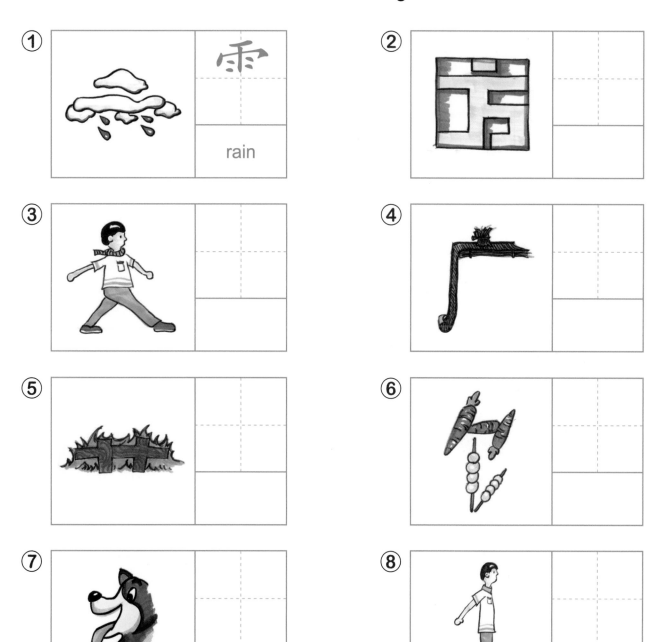

① rain

> **Let's try it**

nǐ xǐ huan wánr diàn nǎo yóu xì ma
你喜欢玩儿电脑游戏吗?

wǒ xǐ huan wánr diàn nǎo yóu xì
我喜欢玩儿电脑游戏。

INSTRUCTION

This activity is for pair work. One child asks a question and the other answers it based on each of the sentences given below.

Sentence patterns:

gē ge xǐ huan tī qiú
① 哥哥喜欢踢球。

tā bú ài huà huàr
② 她不爱画画儿。

tā bú huì yóu yǒng
③ 他不会游泳。

dì di yǒu wán jù huǒ chē
④ 弟弟有玩具火车。

mèi mei ài chī chǎo miàn
⑤ 妹妹爱吃炒面。

wǒ men sān diǎn bàn fàng xué
⑥ 我们三点半放学。

tā zǎo fàn hē niú nǎi
⑦ 他早饭喝牛奶。

wǒ wǔ fàn chī sān míng zhì
⑧ 我午饭吃三明治。

wǒ kě yǐ qù cè suǒ ma
⑨ 我可以去厕所吗?

wǒ kě yǐ qù péng you jiā ma
⑩ 我可以去朋友家吗?

Let's play

Match the food with its ingredients.

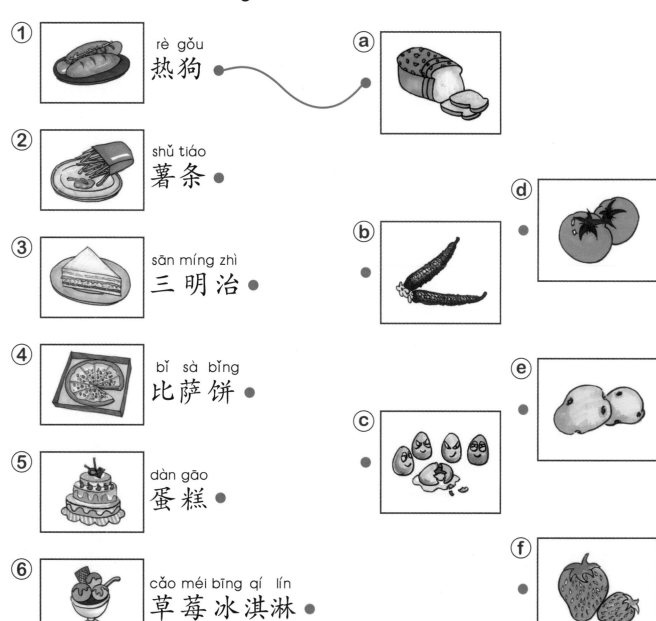

1. rè gǒu 热狗
2. shǔ tiáo 薯条
3. sān míng zhì 三明治
4. bǐ sà bǐng 比萨饼
5. dàn gāo 蛋糕
6. cǎo méi bīng qí lín 草莓冰淇淋

a
b
c
d
e
f

It's time to listen

Listen and tick if true and cross if false.

①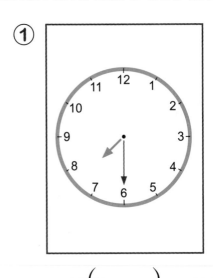

(   )

②

(   )

③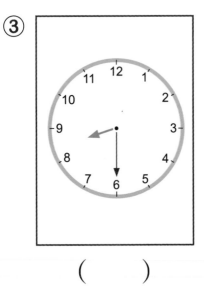

(   )

④

(   )

⑤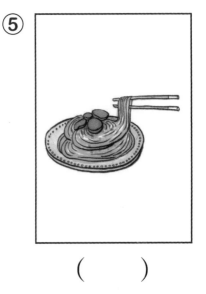

(   )

⑥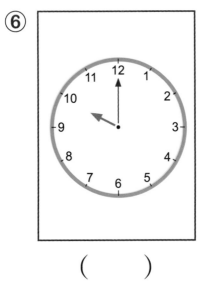

(   )

It's time to work

Match the Chinese with the shapes and write down the letters in the boxes.

ⓐ rè gǒu 热狗　ⓑ shǔ tiáo 薯条　ⓒ chǎo miàn 炒面　ⓓ sān míng zhì 三明治　ⓔ bǐ sà bǐng 比萨饼

ⓕ jiǎo zi 饺子　ⓖ bāo zi 包子　ⓗ hú luó bo 胡萝卜　ⓘ xī hóng shì 西红柿　ⓙ xī lán huā 西蓝花

① [a]

② [ ]

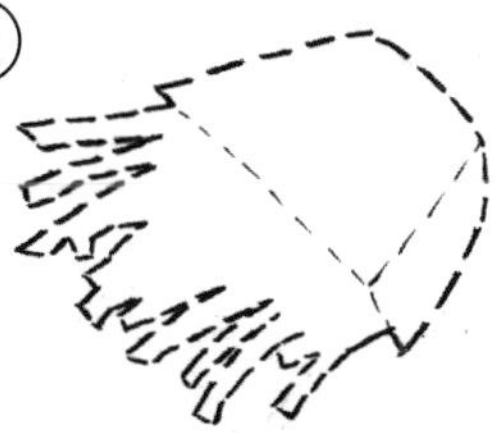

③ [ ]

④ [ ]

⑤ [ ]

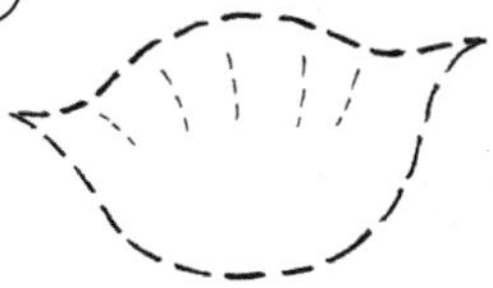

⑥ [ ]

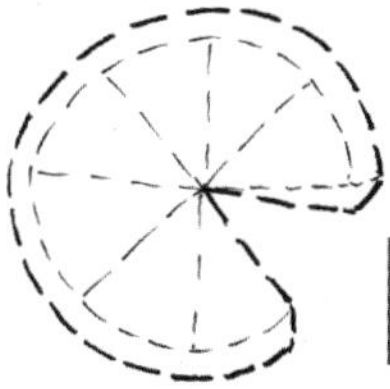

⑦ [ ]

⑧ [ ]

⑨ [ ]

⑩ [ ]

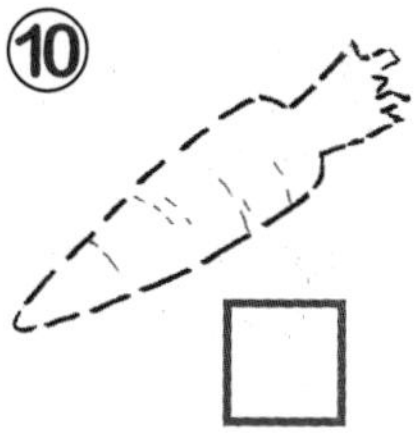

Let's learn new words 26

①

zǒu lù
走路
walk

②
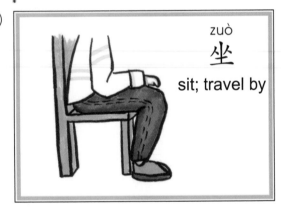
zuò
坐
sit; travel by

③

xiào chē
校车
school bus

④

chū zū chē
出租车
taxi

⑤

gōng gòng qì chē
公共汽车
bus

Let's practise

Say one sentence for each picture.

zuò xiào chē shàng xué
坐校车/上学

京京

EXAMPLE

jīng jing zuò xiào chē shàng xué
京京坐校车上学。

by means of;   main verb
travel by

① zuò huǒ chē   qù běi jīng
坐火车/去北京

京京的爸爸

② zuò chū zū chē shàng xué
坐出租车/上学

丁一

③ zuò mā ma de chē shàng xué
坐妈妈的车/上学

兰兰

④ zuò gōng gòng qì chē   qù dòng wù yuán
坐公共汽车/去动物园

小天

Let's use new words  27

①

lè le měi tiān
乐乐每天
zǒu lù shàng xué
走路上学。

②

jīng jing zuò xiào chē shàng xué
京京坐校车上学。

③

dīng yī zuò chū zū chē shàng xué
丁一坐出租车上学。

④

tián lì zuò gōng gòng qì chē shàng xué
田力坐公共汽车上学。

Let's sing  28

上学

乐　乐　走　路　去　上　学，

京　京　坐　校　车　去　上　学，

丁　一　坐　出　租　车　去　上　学，

田　力　坐　公　共　汽　车　去　上　学。

Let's say it

Say one sentence for each picture.

zǒu lù shàng xué
走路/上学

EXAMPLE

tā zǒu lù shàng xué
他走路上学。

①

zuò fēi jī qù yīng guó
坐飞机/去英国

②

zuò gōng gòng qì chē qù shàng xué
坐公共汽车/去上学

③
zuò huǒ chē　qù běi jīng
坐火车/去北京

④
zuò xiào chē shàng xué
坐校车/上学

⑤
zuò bà ba de chē shàng xué
坐爸爸的车/上学

⑥
zuò chū zū chē　qù péng you jiā
坐出租车/去朋友家

⑦
zuò gōng gòng qì chē　qù dòng wù yuán
坐公共汽车/去动物园

Let's review *pinyin* 29

 ang eng ing ong

1. Read aloud.

(1) āng áng ǎng àng   (3) īng íng ǐng ìng

(2) ēng éng ěng èng   (4) ōng óng ǒng òng

2. Read aloud and tell the meanings.

xiàngpí   xiāngjiāo   chéngsè
(1) 橡皮   (2) 香蕉   (3) 橙色

xīngqīyī   sānmíngzhì   hóngsè
(4) 星期一   (5) 三明治   (6) 红色

3. Read aloud.

(1) zhāng   (2) cháng   (3) shěng   (4) rēng   (5) zàng

(6) céng   (7) yāng   (8) wáng   (9) yǐng   (10) yòng

Let's learn radicals

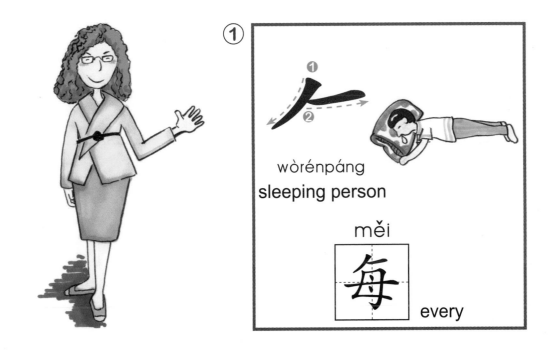

①

wòrénpáng
sleeping person

měi

每
every

②

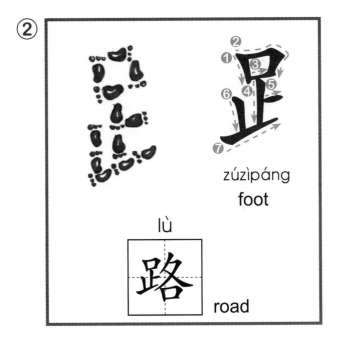

zúzìpáng
foot

lù

路
road

③

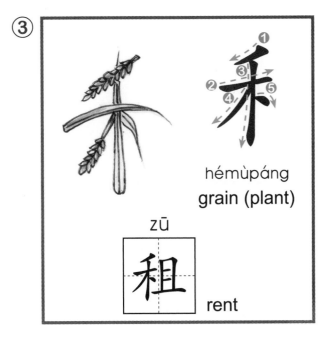

hémùpáng
grain (plant)

zū

租
rent

Let's write

1. Trace and copy the radicals.

① 亻

wòrénpáng
sleeping
person

② 𤴓

zúzìpáng
foot

③ 禾

hémùpáng
grain (plant)

2. Write down the radicals and their meanings and read them aloud.

① roof with a chimney

Let's play

INSTRUCTION

The teacher shows a card of a simple character, then the children are expected to hold up the cards of its relevant strokes.

Some examples:

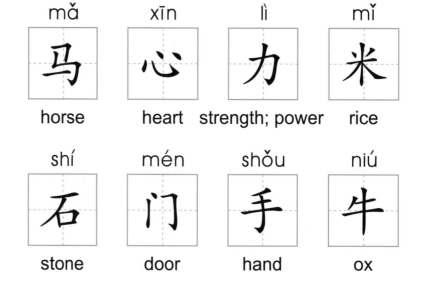

mǎ	xīn	lì	mǐ
马	心	力	米
horse	heart	strength; power	rice

shí	mén	shǒu	niú
石	门	手	牛
stone	door	hand	ox

Let's try it

Colour in this new invention of vehicle and fill in the blanks with the words given in the box.

It is a combination of ___马车___ , _____ , _____ and _____ .

mǎ chē	huǒ chē	diàn chē	xiǎo qì chē	fēi jī	gōng gòng qì chē
马车	火车	电车	小汽车	飞机	公共汽车
carriage		tram	car		

It's time to listen

Listen and tick if true and cross if false.

①

京京

( )

②

乐乐

( )

③

丁一

( )

④

田力

( )

⑤

爸爸

( )

⑥

妈妈

( )

It's time to work

Read the phrases and colour in the pictures accordingly.

①

lán sè de fēi jī
蓝色的飞机

②

huáng sè de xiào chē
黄色的校车

③

zǐ sè de gōng gòng qì chē
紫色的公共汽车

④

hóng sè de chū zū chē
红色的出租车

⑤

lǜ sè de huǒ chē
绿色的火车

Let's learn new words　31

① è
饿
hungry

② kě
渴
thirsty

③ bǎo
饱
full

④ yào
要
want

⑤ kě lè
可乐
Coke

⑥ chǎo fàn
炒饭
fried rice

⑦ hǎo chī
好吃
delicious

Let's practise

Say one sentence for each picture.

EXAMPLE

wǒ yào hē shuǐ
我要 喝水。

①

②

③

④

⑤

⑥

⑦

88

Let's use new words 32

①
wǒ è le　　wǒ yà chī
我饿了。我要吃
chǎo fàn　　chǎo fàn hǎo chī
炒饭。炒饭好吃。

②
wǒ kě le　　wǒ
我渴了。我
yào hē kě lè
要喝可乐。

③
mā ma　　wǒ bǎo le　　wǒ
妈妈，我饱了。我
bù chī le
不吃了。

Let's sing　33　

我饿了

♩ = 73

（慢速）我饿　了,我要吃炒　饭。　　我渴

了,我要喝可　乐。（中速）炒饭好吃,可乐好喝。

炒饭好吃,可乐好喝。

（慢速）我饱　了,我　不吃　了。

Let's say it

Make up conversations by following the example.

wǒ kě yǐ qù
我可以去
cè suǒ ma
厕所吗?

kě yǐ
可以。

EXAMPLE

wǒ kě yǐ qù cè suǒ ma
A: 我可以去厕所吗?
kě yǐ
B: 可以。

①

wǒ xiàn zài kě
我现在可
yǐ wánr yóu
以玩儿游
xì ma
戏吗?

②

bù xíng
不行。

③

kě yǐ
可以。

④

wǒ kě yǐ zǒu lù
我可以走路
shàng xué ma
上学吗?

⑤

wǒ kě yǐ qù dīng
我可以去丁
yī jiā ma
一家吗?

⑥

wǒ kě yǐ chàng
我可以唱
gē ma
歌吗?

⑦

wǒ kě yǐ chī nǐ
我可以吃你
de táng guǒ ma
的糖果吗?

⑧

kě yǐ
可以。

Let's review *pinyin* 34

Read each pair of words or phrases with correct pronunciation.

① jīn 今 天　jīng 北 京　② nǐ 你 好　nín 您 早

③ xié 鞋 子　xuě 下 雪　④ hóu 猴 子　hòu 后 边

⑤ xióng 熊 猫　xiàng 大 象　⑥ qíng 晴 天　qín 钢 琴

⑦ pǎo 跑 步　bāo 书 包　⑧ zì 自 行车　zhì 三明 治

⑨ chuān 穿 衣服　chuáng 起 床　⑩ huá 滑 冰　huā 红 花

⑪ hǎi 海 边　hēi 黑 色　⑫ sì 四 十　shì 电 视

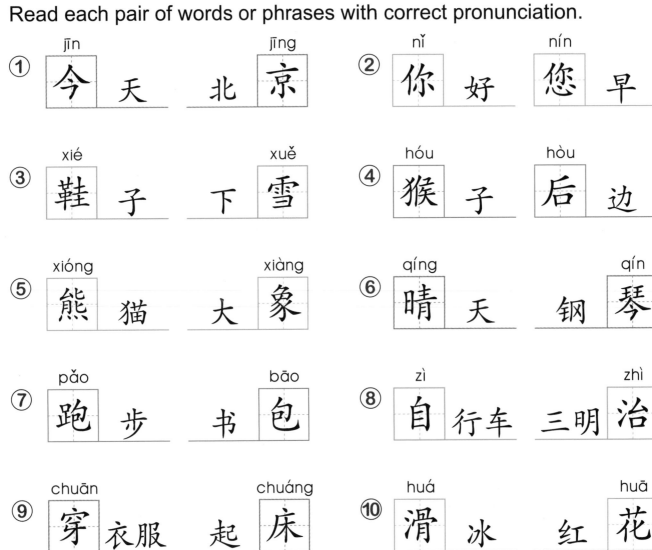

Let's learn radicals

①

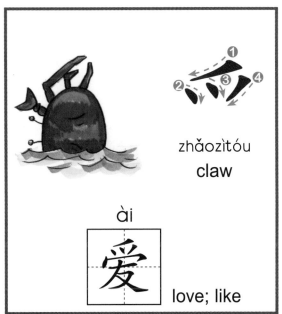

zhǎozìtóu
claw

ài

爱

love; like

②

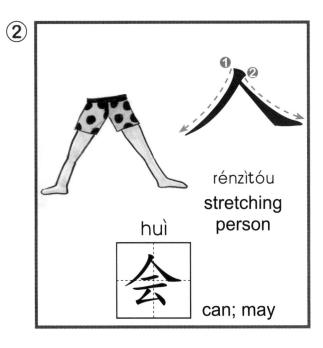

rénzìtóu
stretching
person

huì

会

can; may

③

nǚzìpáng
female

mā

妈

mother

Let's write

1. Trace and copy the radicals.

① zhǎozìtóu
claw

② rénzìtóu
stretching
person

③ nǚzìpáng
female

2. Write down the radicals and their meanings and read them aloud.

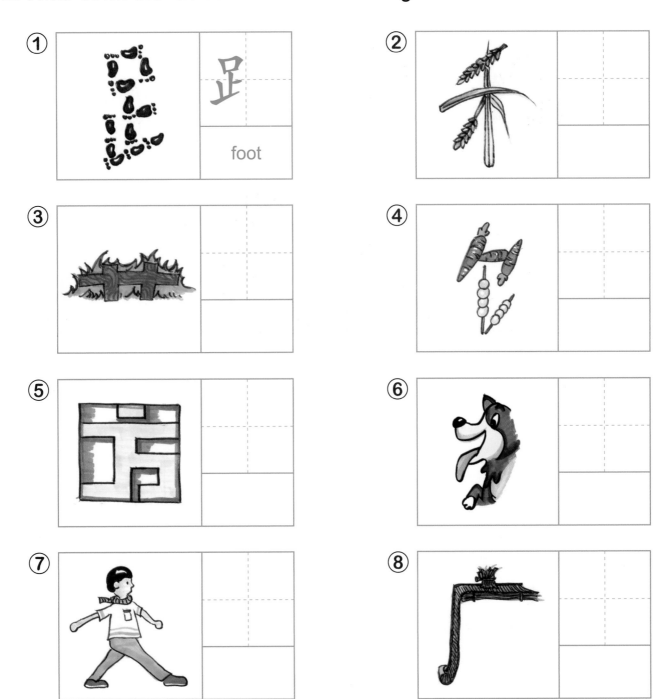

① foot
②
③
④
⑤
⑥
⑦
⑧

Let's play

kǒu
mouth

INSTRUCTION

Give the children a dictation of all the simple characters after letting them practise for a few minutes. One child is asked to write all the characters on the board, while the others write in their exercise books.

Some examples:

kǒu	mù	rì	yuè	rén	tiān	shān	mù
口	目	日	月	人	天	山	木
mouth	eye	sun; day	moon; month	person	sky; day	mountain	wood

tǔ	tián	dà	xiǎo	duō	shǎo	shàng	xià
土	田	大	小	多	少	上	下
soil	field	big	small	many; much	few; little	up; above	down; below

97

Let's try it

Find six sentences and write down their meanings.

①	②				
wǒ 我	yào 要	chī 吃	sān 三	míng 明	zhì 治。
kě 渴	le 了,	wǒ 我	yào 要	hē 喝	shuǐ 水。
mèi 妹	tiān 天	zǒu 走	lù 路	shàng 上	xué 学。
mei 妹	měi 每	gōng 公	gòng 共	qì 汽	chē 车
tián 田	lì 力	zuò 坐	huan 欢	chī 吃	qù 去
jiě 姐	jie 姐	bù 不	xǐ 喜	chǎo 炒	shàng 上
wǒ 我	bù 不	chī 吃	le 了。	miàn 面。	xué 学。

① I want to eat a sandwich.

② _____

③ _____

④ _____

⑥ _____ ⑤ _____

It's time to listen 35

Listen and tick the right picture.

①
(   )   (   )   (   )

②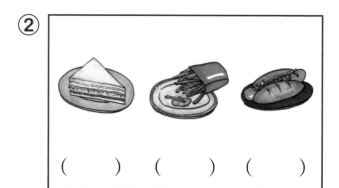
(   )   (   )   (   )

③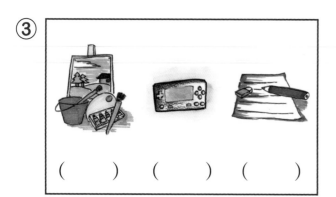
(   )   (   )   (   )

④
(   )   (   )   (   )

⑤
(   )   (   )   (   )

⑥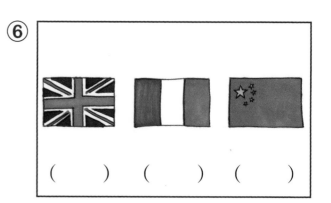
(   )   (   )   (   )

It's time to work

Match the two parts of each conversation.

① A: wǒ kě le　wǒ yào hē kě lè
我渴了，我要喝可乐。

B: zài chī yí ge píng guǒ
再吃一个苹果。
again

② A: wǒ è le　wǒ yào chī rè gǒu
我饿了，我要吃热狗。

B: sān míng zhì hé guǒ zhī
三明治和果汁。

③ A: bà ba　wǒ bǎo le
爸爸，我饱了。

B: méi yǒu kě lè　nǐ kě yǐ hē shuǐ
没有可乐。你可以喝水。

④ A: nǐ wǔ fàn chī shén me
你午饭吃什么？

B: duì bu qǐ　méi yǒu rè gǒu
对不起，没有热狗。

⑤ A: jiǎo zi hǎo chī
饺子好吃。

B: wǒ bú è
我不饿。

⑥ A: nǐ è le ma
你饿了吗？

B: bù xíng　xiàn zài chī fàn
不行，现在吃饭。

⑦ A: wǒ kě yǐ chī qiǎo kè lì ma
我可以吃巧克力吗？

B: wǒ bù xǐ huan chī jiǎo zi
我不喜欢吃饺子。
wǒ xǐ huan chī bāo zi
我喜欢吃包子。

wén fáng sì bǎo

文房四宝

Four Treasures of the Study

The "four treasures of the study" refer to the writing brush (毛笔 máobǐ), the inkstick (墨 mò), the paper (纸 zhǐ) and the inkstone (砚 yàn) used in Chinese calligraphy and painting. They were also the main tools with which a classical scholar carried out his scholarly work. The emergence and development of traditional Chinese culture and art are closely related to the "four treasures of the study".

A

Learn to hold a writing brush with a writing brush.

Trace the strokes with a writing brush.

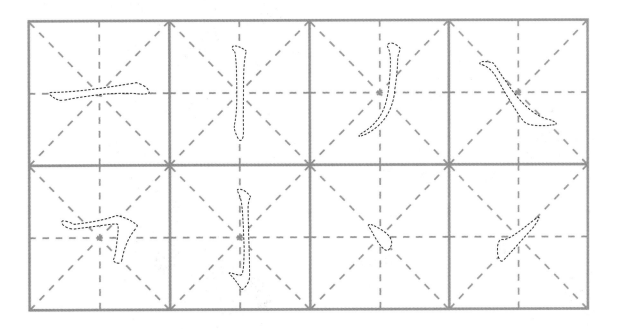

B

Find the stickers on Page D and put them at the right places.

wén fáng sì bǎo
文房四宝 Four Treasures of the Study

C

You will be awarded with a sticker when a good piece of work is completed.

Put the stickers below at the right places on page C.

D

词汇表 VOCABULARY

Lesson 1

住	zhù	live
哪儿	nǎr	where
他们	tāmen	they; them
北京	běijīng	Beijing
电话号码	diànhuà hàomǎ	telephone number
多少	duōshao	how many; how much
兰兰	lánlan	name of a girl
豆豆	dòudou	name of a girl
○	líng	zero
亻	dānrénpáng	standing person
宀	bǎogài	roof with a chimney
父	fùzìtóu	father

Lesson 2

说	shuō	speak; say
汉语	hànyǔ	Chinese (language)
德语	déyǔ	German (language)

英语	yīngyǔ	English (language)
法语	fǎyǔ	French (language)
讠	yánzìpáng	speech
氵	sāndiǎnshuǐ	water
彳	shuāngrénpáng	two people

Lesson 3

现在	xiànzài	now
分	fēn	minute
一刻	yí kè	a quarter (of an hour)
三刻	sān kè	three quarters (of an hour)
半	bàn	half
零	líng	zero
早上	zǎoshang	early morning
上午	shàngwǔ	late morning
中午	zhōngwǔ	noon
下午	xiàwǔ	afternoon
晚上	wǎnshang	evening; night
王	wángzìpáng /xiéyùpáng	jade

I

刂	lìdāopáng	long knife
雨	yǔzìtóu	rain

Lesson 4

起床	qǐ chuáng	get up
早饭	zǎofàn	breakfast
上学	shàng xué	go to school
午饭	wǔfàn	lunch
放学	fàng xué	school is over
晚饭	wǎnfàn	dinner
睡觉	shuì jiào	sleep
方	fāngzìpáng	square
走	zǒuzìpáng	walk
广	guǎngzìpáng	shelter

Lesson 5

炒面	chǎomiàn	fried noodles
薯条	shǔtiáo	French fries
热狗	règǒu	hot dog
三明治	sānmíngzhì	sandwich
比萨饼	bǐsàbǐng	pizza
艹	cǎozìtóu	grass
饣	shízìpáng	food
犭	fǎnquǎnpáng	animal

Lesson 6

走路	zǒu lù	walk
坐	zuò	sit; travel by
校车	xiàochē	school bus
出租车	chūzūchē	taxi
公共汽车	gōnggòng qìchē	bus
亻	wòrénpáng	sleeping person
𧾷	zúzìpáng	foot
禾	hémùpáng	grain (plant)

Lesson 7

饿	è	hungry
渴	kě	thirsty
饱	bǎo	full
要	yào	want
可乐	kělè	Coke
炒饭	chǎofàn	fried rice
好吃	hǎochī	delicious
爫	zhǎozìtóu	claw
人	rénzìtóu	stretching person
女	nǚzìpáng	female

II